Junie B. Jones

ADORE les mariages

Les titres de la collection
Junie B. Jones :

Pas folle de l'école

Junie B. Jones et le gâteau hyper dégueu

Junie B. Jones et son p'tit ouistiti

Fouineuse-ratoureuse

Bavarde comme une pie

La fête de Jim-la-peste

Amoureuse

Le monstre invisible

Junie B. Jones n'est pas une voleuse

Junie B. Jones brise tout

L'affreuse coiffeuse

Poisson du jour

Junie B. Jones ADORE les mariages

Junie B. Jones
ADORE les mariages

Barbara Park
Illustrations de Denise Brunkus

Texte français d'Isabelle Allard

À ma « plus meilleure » amie, Sunny Hall.
Que ferais-je sans toi?

Catalogage avant publication de Bibliothèque et Archives Canada
Park, Barbara
Junie B. Jones adore les mariages / Barbara Park;
illustrations de Denise Brunkus;
texte français d'Isabelle Allard.

Traduction de : Junie B. Jones is (almost) a flower girl.
Pour les 4-10 ans.

ISBN 978-0-545-99516-0

I. Brunkus, Denise II. Allard, Isabelle III. Titre.

PZ23.P363Junie 2007 j813'.54 C2007-902719-9

Édition publiée par les Éditions Scholastic,
604, rue King Ouest, Toronto (Ontario) M5V 1E1.

6 5 4 3 2 Imprimé au Canada 08 09 10 11 12

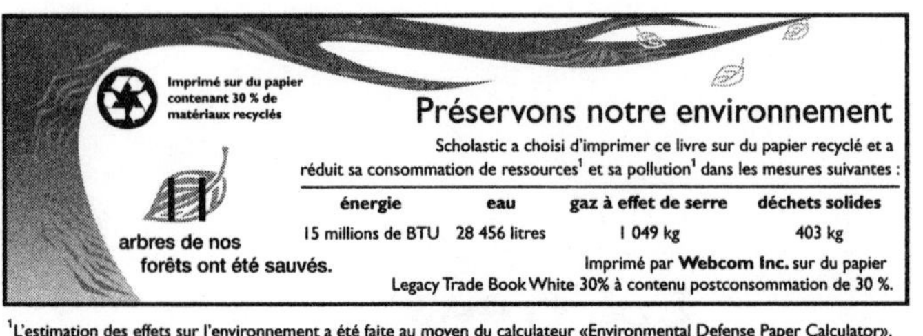

Sources Mixtes
Groupe de produits issu de forêts bien gérées et de bois ou fibres recyclés

Cert no. SW-COC-002358
www.fsc.org
© 1996 Forest Stewardship Council

[1]L'estimation des effets sur l'environnement a été faite au moyen du calculateur «Environmental Defense Paper Calculator».

Table des matières

1/ Ricardo

Je m'appelle Junie B. Jones. Le B, c'est la première lettre de Béatrice. Je n'aime pas ce prénom-là, mais le B tout seul, j'aime bien ça!

Je suis célibataire.

Célibataire, c'est quand ton petit ami t'annonce qu'il te quitte à la récré. Sauf que je ne m'attendais pas à cette mauvaise nouvelle.

C'est arrivé aujourd'hui, dans la cour d'école.

Je jouais aux chevaux avec mes amies Lucille et Grace.

Tout à coup, mon petit ami Ricardo est passé en courant.

Il courait après la nouvelle, qui s'appelle Thelma.

— RICARDO! ai-je crié. HÉ! RICARDO! QU'EST-CE QUE TU FAIS ET-ZAQUETEMENT, MONSIEUR?

Je me suis lancée à la poursuite de ce garçon. Je l'ai fait tomber sur le gazon. On s'est battus. On s'est entortillés. On a roulé sur l'herbe.

Finalement, je me suis assise sur ses jambes et j'ai lissé mes cheveux d'un air coquet.

— Bonjour, Ricardo, ai-je dit. Comment ça va, aujourd'hui? Moi, ça va. Sauf que je t'ai vu courir après la nouvelle. Alors, s'il te plaît, arrête ça. Je suis sérieuse.

Ricardo a levé ses sourcils d'un air surpris.

— Mais pourquoi? a-t-il demandé.

J'ai aspiré mes joues.

— *Parce que*, Ricardo. Parce que je suis ta petite amie. Et tu es mon petit ami. Alors, tu n'as pas le droit de courir après une autre fille.

Ricardo a continué de me regarder.

J'ai haussé les épaules.

— Désolée, ai-je dit. Ce sont les règlements.

Le visage de Ricardo est devenu tout triste.

— Mais *j'aime ça*, courir après Thelma, a-t-il pleurniché. C'est amusant!

J'ai tapoté son bras gentiment.

— Ce n'est pas moi qui invente les règlements. Je les fais respecter, c'est tout.

Après, je me suis enlevée de ses jambes. Je me suis assise sur le gazon à côté de lui.

Il n'a pas parlé pendant un long moment.

Finalement, il s'est levé et m'a serré la main poliment.

— Junie B., j'ai bien aimé être ton petit ami. Mais maintenant, je pense qu'on devrait courir après d'autres personnes.

Il m'a fait au revoir avec sa main. Puis il est parti retrouver Thelma.

Mes yeux sont devenus grands comme des soucoupes.

— NON, RICARDO! ai-je crié. NON, NON! REVIENS!

Mais il a continué de courir.

Je me suis sentie toute faible. J'avais un peu mal au cœur.

Je me suis écroulée par terre. Sauf que tant pis pour moi. Au même moment, la cloche a sonné et tous les enfants ont couru vers la porte de l'école.

Sauf moi.

Je suis restée assise dans l'herbe.

Mon enseignante m'a appelée.

Elle s'appelle Madame. Elle a un autre nom, mais je ne m'en souviens jamais. Et puis, j'aime bien dire Madame tout court.

Finalement, Madame est venue me chercher.

— Junie B., tu n'entres pas? Quel est le problème?

Je l'ai regardée d'un air déprimé.

— C'est Ricardo. Le problème, c'est Ricardo.

Mes yeux se sont remplis de larmes et mon nez a commencé à couler.

Madame a fermé les yeux.

— Oh, non, a-t-elle dit. Pas des problèmes de garçons! Pas *déjà*!

Elle m'a donné un mouchoir et m'a aidée à me relever.

Et elle m'a fait marcher jusqu'à la classe numéro neuf.

2/ Les chaussures

Maman avait congé aujourd'hui.

Elle m'attendait à l'arrêt d'autobus.

Elle poussait mon petit frère Ollie dans sa poussette.

J'ai couru donner un câlin à ses jambes.

— Maman! Maman! Je suis contente de te voir! Parce qu'aujourd'hui, c'était la plus mauvaise journée de ma vie! Je *bois* du noir, moi, je te le dis!

Maman a levé ses sourcils, surprise.

— Oh, tu veux dire que *tu broies du noir*, Junie B.! Tu es triste, c'est ça?

J'ai hoché la tête.

— Oui, maman. C'est *et-zaquetement*

ça. Parce que mon petit ami Ricardo veut courir après d'autres personnes. Et cette nouvelle m'a donné des idées noires.

J'ai sorti un biscuit de ma poche.

— Regarde, maman. Tu vois comme j'étais triste? Je n'ai même pas pu manger mon biscuit à l'heure de la collation. Parce que mon ventre se sentait très malade.

Maman a pris mon biscuit.

Elle en a mangé une grosse bouchée délicieuse.

— Miam, a-t-elle dit. Merci, ma chérie.

Je l'ai fixée longtemps.

Parce qu'elle avait mal compris, on dirait.

— Non, maman. Tu ne devais pas manger mon biscuit, ai-je dit. Tu devais juste être triste pour moi. En plus, tu dois me dire comment faire revenir Ricardo.

Maman s'est penchée et m'a fait un câlin.

— Je suis désolée, ma chérie. Je sais que tu as de la peine à cause de Ricardo. Mais tu es beaucoup trop jeune pour avoir un petit ami, tu sais.

Elle s'est relevée.

— Tu es encore une petite fille, a-t-elle dit en souriant.

J'ai tapé du pied.

— Non, je ne suis *pas* petite, ai-je répliqué. En plus, toutes les filles de l'école ont des amoureux! Ma *plus meilleure* amie Lucille a un petit ami qui s'appelle Claudio. Celui de Grace s'appelle Robin. Charlotte a Hugo. Rose a Vincent. Line a Bébé-lala William. Et moi, je suis toute seule. Je n'ai plus personne.

Maman a soupiré.

— Je suis désolée, Junie B. Mais toutes ces filles sont trop jeunes pour avoir un amoureux. S'il te plaît, ne commence pas ces histoires de garçons trop tôt. Les petites filles sont censées être insouciantes et libres comme l'air. Tu auras bien le temps de trouver chaussure à ton pied!

J'ai froncé les sourcils.

— Qu'est-ce que les chaussures ont à voir avec mon problème?

Maman a éclaté de rire.

— C'est seulement une expression, Junie B., a-t-elle dit en *éroubiffant* mes cheveux. Ça veut dire que tu n'as pas besoin de trouver un garçon avant d'être grande. En attendant, tu peux courir et jouer avec qui tu veux.

J'ai poussé un gros soupir.

— Mais je suis déjà grande! En plus, j'ai plein de chaussures! Je ne suis pas un bébé, tu sais!

J'ai couru jusqu'à Ollie. J'ai levé sa petite main dans les airs.

— Tu vois, maman? Ça, c'est une main de bébé. Tu vois comme elle est petite?

J'ai mis ma main à côté.

— Maintenant, regarde *ma* main. Tu vois comme elle est grande? Hein, maman?

Après, j'ai levé un des pieds d'Ollie.

— Tu vois son pied de bébé? Mes pieds sont des *bazillions* de fois plus gros que ces pieds minuscules.

Je me suis tenue bien droite.

— Je suis grande, je te dis! Je suis presque aussi grande qu'une géante!

Maman a eu un petit rire.

— Désolée, cocotte. Tu es quand même trop jeune pour avoir un petit ami.

Elle m'a fait un autre câlin. Elle a lissé mes cheveux.

Et elle a mangé le reste de mon biscuit.

3/ Comme une madame

Au souper, j'ai raconté à papa ce qui s'était passé dans la cour d'école.

Et vous savez quoi?

Il m'a dit la même chose que maman, la même chose ridicule!

— Tu es trop jeune pour avoir un amoureux. C'est bien que Ricardo soit ton ami, mais tu as encore bien le temps de trouver chaussure à ton pied.

Je me suis mise les mains sur les oreilles en entendant ça.

— Arrêtez de parler de chaussures! Je suis grande! J'ai autant de chaussures que maman!

Maman a regardé papa.

— Je pense que quelqu'un a besoin de s-o-m-m-e-i-l, a-t-elle épelé.

J'ai poussé un soupir fâché.

— Ouais, sauf que vous savez quoi? Je suis une grande fille. Et les grandes filles savent comment épeler. Et je n'ai pas besoin de *semelles*, bon!

Maman a ri. Je ne sais pas pourquoi.

Elle m'a emmenée dans la salle de bain. Elle a rempli la baignoire et a versé plein de bulles dans l'eau.

Elle m'a donné des jouets et une débarbouillette marionnette.

Je les lui ai redonnés.

— Ce sont des choses pour les bébés, ai-je dit. Et moi, je suis une grande fille.

— Comme tu veux, a répondu maman.

Elle s'est assise sur le plancher.

Elle m'a regardée pendant que je restais assise dans les bulles.

Je suis restée là, sans bouger.

— Tu vois, maman? Je reste assise sans bouger comme une vraie madame. Quand les madames prennent un bain, elles restent assises bien droites dans l'eau. Elles n'éclaboussent pas et ne jouent pas avec des jouets de bébé.

J'ai continué à rester assise.

Puis j'ai soupiré.

Parce que je commençais à m'ennuyer, c'est pour ça.

Alors, j'ai tapoté un peu les bulles.

— Des fois, les madames tapotent les bulles, ai-je dit. Ce n'est pas vraiment jouer.

Maman a souri.

J'ai pris des bulles et les ai étalées sur mes bras.

— Les bulles, c'est bon pour la peau des madames, ai-je dit. Ça la rend toute douce.

J'ai mis des bulles sur mon menton.

— Des fois, les madames aiment avoir une barbe en mousse, ai-je expliqué, très sérieuse.

Après, je me suis mis des bulles partout, partout!

— Regarde! Je suis toute blanche! ai-je crié très contente.

— Tu as l'air d'une mariée avec un voile! a dit maman en riant.

Tout à coup, sa bouche s'est ouverte toute grande.

— Oh, j'oubliais! Je ne t'ai pas annoncé la grande nouvelle! Ta tante Flo a appelé aujourd'hui. Elle va *se marier*!

Maman s'est mise à taper des mains.

— Tante Flo se marie, Junie B.! a-t-elle répété. C'est excitant, non? Tu vas aller à ton premier mariage!

Et elle m'a fait un grand sourire.

Elle a fredonné une jolie chanson de mariage.

Elle a même dansé avec ma serviette.

Vous savez quoi?

Un mariage, ça doit être quelque chose de vraiment important.

4/ Les bouquetières

Le lendemain, à la récré, j'ai chanté la jolie chanson de mariage.

Je l'ai chantée à mes meilleures amies, Lucille et Grace.

« VOICI LA MARIÉE
QUI FAIT SON ENTRÉE
ELLE S'APPELLE ZOÉ
ET AIME LA TÉLÉ! »

Grace m'a regardée avec des yeux admirateurs.

— Je ne savais pas que cette chanson avait des paroles, a-t-elle dit.

— Évidemment qu'elle a des paroles, ai-je dit. Toutes les chansons ont des paroles. Il suffit de les inventer.

Après, j'ai dansé autour de mes amies en chantant encore la chanson.

— Savez-vous pourquoi je chante la chanson du mariage? ai-je demandé. Devinez, les filles! Allez, devinez!

Je n'ai pas pu attendre qu'elles devinent.

— C'EST PARCE QUE JE VAIS ALLER À MON PREMIER MARIAGE, C'EST POUR ÇA! MA TANTE FLO VA SE MARIER!

Lucille a tapé des mains. Elle avait l'air contente.

— Un mariage! Un mariage! J'adore les mariages, Junie B.! Vas-tu être la bouquetière? Hein? Dis-moi, dis-moi!

J'ai froncé les sourcils.

— La quoi? ai-je demandé.

— La bouquetière, a répété Lucille.

C'est la fille qui marche la première dans l'allée de l'église pendant le mariage. Elle a un panier de fleurs et elle laisse tomber des pétales par terre.

— C'est très amusant, Junie B.! a dit Grace. J'étais la bouquetière au mariage de ma tante Lola. Je portais une robe longue

en satin! J'ai trébuché juste deux fois!

Lucille a fait bouffer ses cheveux.

— Eh bien, moi, j'ai été bouquetière à *trois mariages*, Grace, a-t-elle dit. Et j'ai porté *trois* robes longues en satin. Chaque fois, j'avais des chaussures, un sac à main et un chapeau assortis. En plus, une des robes avait une cape bleue en fausse fourrure de lapin. Et je n'ai pas trébuché *une seule* fois. Alors, je dirais que c'est moi, la meilleure bouquetière.

Le sourire de Grace est retombé.

— Oh, a-t-elle dit d'une petite voix.

Puis Lucille m'a posé un million de questions.

— Quelle sorte de robe de bouquetière vas-tu porter, Junie B.? Courte ou longue? De quelle couleur? Moi, j'ai porté du jaune, du rose et du bleu jusqu'à maintenant.

Elle a tapoté son menton.

— Hum! je me demande quelle sorte de pétales tu vas avoir dans ton panier... Tu diras à ta tante Flo que j'aime mieux les pétales de rose.

Tout à coup, Lucille a ouvert ses yeux tout grands.

— Junie B.! Je viens de penser à quelque chose! Peut-être que moi et Grace, on pourrait *t'apprendre* comment faire! On pourrait te montrer comment marcher dans l'allée et porter le panier! Aimerais-tu ça? Hein, veux-tu?

J'ai sauté sur place.

— Oui! ai-je dit. Bien sûr que je veux, Lucille!

Après, Grace est redevenue contente. On s'est tapées dans les mains toutes les trois.

On a fait une ronde. Et on s'est exercées à être des bouquetières.

5/ Bo

Quand je suis descendue à mon arrêt d'autobus, j'ai gambadé jusqu'à la maison. C'est parce que j'avais une bonne nouvelle!

Mon papi Miller gardait mon frère Ollie. Ils jouaient tous les deux sur le plancher.

Je suis entrée en courant et j'ai sauté sur le canapé.

— PAPI MILLER! ÉCOUTE MA BONNE NOUVELLE! JE VAIS ÊTRE BOUQUETIÈRE AU MARIAGE DE TANTE FLO! ALORS, QU'EST-CE QUE TU DIS DE ÇA, MONSIEUR?

Papi a arrêté de jouer avec Ollie. Il m'a regardée d'un drôle d'air.

— Quoi? Es-tu sûre de ça, ma chérie?

— Bien sûr que je suis sûre! ai-je dit. Parce que moi et mes amies, on l'a décidé à l'école aujourd'hui. Alors, tout ce qui reste à faire, c'est de le dire à tante Flo.

J'ai couru dans la cuisine chercher le carnet d'adresses de ma mère et je suis revenue dans le salon à toute vitesse.

— Tiens, papi Miller! Dis-moi le numéro de téléphone de tante Flo. Il faut que je l'appelle tout de suite!

Papi Miller s'est gratté la tête.

— Euh... je ne sais pas, ma chérie. Je ne pense pas que ce soit une bonne idée. Peut-être que tante Flo a déjà pris des dispositions pour la bouquetière.

J'ai éclaté de rire en entendant ce gros bêta.

— Ouais, sauf que pourquoi elle aurait pris des *spositions* puisqu'elle ne sait pas encore que c'est moi?

Papi Miller a caché son visage dans ses mains. Il a grogné, je pense.

J'ai tiré sa manche.

— Allez, papi! Dis-moi le numéro, s'il te plaît! Allez!

Finalement, papi a fait signe que non.

— Je préférerais que tu en parles d'abord à ta mère, a-t-il dit.

J'ai poussé un gros soupir.

Parce que maman ne serait pas à la maison avant une heure, probablement. Et qui pouvait attendre aussi longtemps?

C'est pour ça que j'ai caché le carnet d'adresses sous mon bras. J'ai marché sur la pointe des pieds jusqu'à la chambre de maman.

J'ai fermé la porte sans faire de bruit. J'ai grimpé sur le lit.

Et j'ai ouvert le carnet à la page des M. Parce que le nom de tante Flo, c'est Miller, comme mon papi!

Et vous savez quoi? Je l'ai trouvé tout de suite!

— F-L-O, ai-je épelé, toute contente. F-L-O, Flo!

L'autre bonne nouvelle, c'est que le numéro de téléphone de tante Flo était juste à côté de son nom!

— Hé! c'est simple comme bonjour! ai-je dit.

Après, j'ai fait le numéro à toute vitesse.

J'ai entendu une sonnerie. Puis une autre.

— Allô! a dit une voix.

— HÉ! me suis-je exclamée. ÇA MARCHE! J'AI RÉUSSI, TANTE FLO! JE T'AI APPELÉE AU TÉLÉPHONE!

La voix de tante Flo semblait étonnée.

— Junie B., c'est toi?

— OUI, OUI, C'EST MOI, TANTE FLO! C'EST JUNIE B. JONES! J'AI LA MEILLEURE NOUVELLE QUE TU AS JAMAIS ENTENDUE!

Puis la surprise est sortie de ma bouche sans que je le veuille.

— JE VAIS ÊTRE LA BOUQUETIÈRE À TON MARIAGE, TANTE FLO! ALORS, C'EST TON JOUR DE CHANCE, MADAME!

J'ai couru partout sur le lit.

— Attends de me voir, tante Flo! Je vais être la meilleure bouquetière du monde! Parce que Lucille m'a déjà montré

North Vancouver District
Public Library

Patron ID: **********3075

Items checked out this session

Title: Junie B. Jones adore les mariages /
ID: 33141011306761
Due: June-03-19

Items that you have renewed

Title: L'affreuse coiffeuse /
ID: 33141010970591
Due: June-03-19

Total items: 2
Account balance: $0.00
May-13-19 4:40 PM
Checked out: 2
Overdue: 0

For renewals and holds, check your account at www.nvdpl.ca or call 604-981-3190.
Thank you for using the North Vancouver District Public Library.

comment lancer des pétales. Et Grace m'a appris comment marcher sans trébucher.

J'ai continué de parler, tout excitée.

— Maman pense que je suis un bébé, tante Flo. Mais ce n'est pas vrai. Je suis une grande fille! Tu verras!

Tante Flo ne disait rien.

J'ai tapoté le téléphone avec mes doigts.

— Tante Flo? Es-tu là? Tante Flo?

Finalement, elle a parlé.

— Heu... je suis là, Junie B., a-t-elle dit. C'est juste que ta nouvelle me prend un peu au dépourvu.

J'ai encore sauté sur le lit.

— Youpi! au dépourvu, c'est un peu comme une surprise, hein? Alors, quelle sorte de robe aimerais-tu que je porte? Je pense qu'elle devrait être longue jusqu'à terre.

J'ai fait un grand sourire.

— Et tu sais quoi? Peut-être que je pourrais avoir une cape bleue en fausse fourrure de lapin!

Tante Flo n'a rien dit.

J'ai regardé dans le téléphone avec mon œil.

— Hum! il y a peut-être une mauvaise connexion là-dedans, ai-je dit.

— Junie B., ma chérie, a dit tante Flo. J'ai une mauvaise nouvelle pour toi...

Mon ventre s'est senti très malade tout à coup. Parce que les mauvaises nouvelles ne sont pas très bonnes, d'habitude.

— Quelle *sorte*, tante Flo? ai-je demandé d'une petite voix. Quelle *sorte* de mauvaise nouvelle?

— Oh! je ne sais pas comment te dire ça, Junie B., mais... j'ai déjà choisi une bouquetière pour le mariage. Et j'ai bien peur que ce ne soit pas toi.

J'ai senti une boule dans ma gorge.

— Tu as peur que ce soit qui?

— Bo, a répondu tante Flo.

— Bo?

— Bo est la petite sœur de Joe.

— Joe?

— Joe, c'est l'homme que je vais épouser. Joe a déjà demandé à Bo.

— Oh, ai-je chuchoté.

J'avais les yeux pleins de larmes, tout à coup.

— Il faut que je raccroche, ai-je dit.

Mon nez s'est mis à couler.

J'ai raccroché le téléphone.

6/ La doublure

Le reste de la journée n'a pas été amusant du tout.

J'ai été grondée.

C'est parce que tante Flo la rapporteuse a tout raconté à papi Miller. Et papi Miller a tout rapporté à papa, qui a tout rapporté à maman.

Et maman en a fait toute une histoire pendant le souper.

Toute une histoire, c'est quand maman n'arrête pas de crier et qu'elle ne veut pas changer de sujet.

— *Ce n'est pas bien*, Junie B. Jones, a-t-elle dit. *Ce n'est pas bien* de désobéir à ton grand-père. Et *ce n'est pas bien* de t'inviter au mariage de tante Flo.

Je me suis redressée.

— Flo, ai-je dit tout bas. Ça s'épelle F-l-o.

Maman a aspiré ses joues.

— Eh bien, nous sommes très contents que tu saches épeler. Mais la question n'est pas là, Junie B. Tu ne dois pas désobéir à ton grand-père.

J'ai baissé la tête.

— Mais j'aurais tellement voulu être la bouquetière! ai-je dit. J'aurais aimé porter une robe longue et te montrer que je suis une grande fille.

Maman a froncé ses sourcils.

— Ce n'est pas une excuse.

Après, j'ai baissé la tête encore plus bas. Sauf que tant pis pour moi. Parce que ma tête s'est trop approchée de mon assiette. Et mes cheveux ont trempé dans la sauce.

J'ai regardé mes cheveux pleins de sauce.

— Aujourd'hui, ce n'est pas une très bonne journée, ai-je dit en me parlant à moi-même.

Le téléphone a sonné.

Maman a répondu.

Oh, non!

C'était tante Flo!

Elle voulait me parler!

Maman m'a tendu le téléphone.

J'ai secoué la tête très vite.

— Non, merci, ai-je dit. Je n'ai pas très envie de lui parler en ce moment.

Mais maman a continué de me tendre le téléphone. Alors, je n'ai pas eu le choix.

J'étais nerveuse et tremblante en dedans.

— A-a-a-llô? ai-je dit.

— Allô, allô! a dit tante Flo d'une voix joyeuse. Je suis désolée pour tout à l'heure, Junie B. Mais j'ai une bonne nouvelle pour toi. Aimerais-tu être la *doublure* de la bouquetière? Sais-tu ce que c'est, une *doublure*?

J'ai secoué la tête.

— C'est une *remplaçante*, a-t-elle expliqué. Par exemple, si Bo tombait malade et ne pouvait pas venir au mariage, ce serait toi qui la remplacerait et qui serait la bouquetière. Tu comprends, ma chérie?

J'ai commencé à me sentir un peu mieux.

— Je comprends, tante Flo.

— Mais attends! Je ne t'ai pas encore dit la meilleure! Même si Bo n'est pas malade, nous voulons quand même que tu sois assise avec les demoiselles d'honneur à la réception. Qu'en dis-tu?

Mes yeux sont devenus grands comme des soucoupes.

— J'en dis que c'est merveilleux! ai-je dit d'une petite voix.

Je me suis levée d'un bond.

— Hé, tante Flo! Est-ce que ça veut dire que je vais porter une robe longue? Et peut-être même que Bo va me donner un ou deux pétales de fleurs, rien que pour moi!

J'étais de plus en plus contente.

— Merci, tante Flo! Merci de me choisir comme doublure. Parce que ma journée est moins pire que je pensais, finalement!

Après, j'ai raccroché.

J'ai couru dans la maison comme une fusée et j'ai fait la roue!

Je me suis tenue sur la tête!

Parce que maintenant, maman allait voir que j'étais une vraie demoiselle!

7/ Les vœux

Maman m'a acheté une belle robe pour le mariage.

Elle a des manches dorées et bouffantes. Elle est longue jusqu'à terre.

Maman m'a aussi acheté des collants très élégants, avec des reflets brillants. Et de jolies chaussures dorées toutes neuves!

Je n'ai pas arrêté de la remercier!

Je l'ai remerciée tout le temps qu'on était dans le magasin.

— Merci, maman, ai-je dit. Merci pour ma belle robe. Merci pour mes beaux collants. Merci, merci pour mes chaussures dorées!

Je lui ai fait un grand sourire.

— Maintenant, il manque juste ma cape bleue en fausse fourrure de lapin.

Maman a secoué la tête.

— Il n'en est pas question. Nous avons assez dépensé pour aujourd'hui.

Je l'ai fixée. Parce qu'elle n'avait aucun sens de la mode, on dirait.

— Mais il faut que j'aie une cape bleue en fausse fourrure de lapin, maman! Lucille dit qu'une cape de fourrure ajoute une note d'élégance à toutes les robes. Elle dit que...

— Je ne veux pas savoir ce qu'elle dit, m'a interrompue maman. Pas de cape de fourrure, compris?

Sa voix fâchée m'a fait peur.

J'ai reculé.

— D'accord, d'accord, ai-je dit un peu nerveuse.

Après, j'ai aidé maman à transporter les sacs dans l'auto. Et j'ai été très sage jusqu'à la maison.

En arrivant, j'ai couru dans ma chambre avec mes beaux vêtements. Et j'ai essayé ma robe pour la montrer à papa.

Et vous savez quoi?

J'ai marché dans le couloir sans trébucher!

Papa a levé le pouce pour me féliciter.

— Quelle belle bouquetière! a-t-il dit, tout fier.

— Merci, ai-je dit. Sauf que je ne suis pas une vraie bouquetière, tu te souviens? Je suis juste une doublure.

Mes épaules sont retombées un peu. J'étais un peu moins contente, tout à coup.

Parce qu'au début, ça fait très plaisir d'être une doublure.

Mais après...

Ça ne fait plus autant plaisir.

Ce soir-là, après le souper, maman m'a bordée dans mon lit.

Elle m'a donné un bisou sur la tête.

— Ouais, sauf que... n'éteins pas la lumière tout de suite. Parce que j'ai oublié une chose très importante.

Je me suis levée et je suis allée à la fenêtre. J'ai croisé les doigts pour me porter chance.

— À chaque étoile on fait un vœu, un souhait secret, celui qu'on veut. Chère étoile, fais que Bo soit malade pour le mariage de tante Flo. De ton amie, Junie B. Jones.

Je suis retournée dans mon lit.

Maman a ouvert ses yeux très grands.

— Non, Junie B.! Non, non, non! Tu ne dois *pas* souhaiter que des gens soient malades! Retourne à la fenêtre et change ton vœu.

J'ai levé mes sourcils.

— Ouais, mais comment je pourrais le changer? Il est déjà parti!

— Bon, a dit maman. Alors, retourne à la fenêtre et fais un vœu plus gentil pour

effacer le premier.

Elle a fait claquer ses doigts et m'a montré la fenêtre.

— Tout de suite, Junie B.

Je me suis levée très lentement.

J'ai marché jusqu'à la fenêtre.

Et j'ai regardé la même étoile.

— Chère étoile, maman dit de ne pas rendre Bo malade. Alors, peut-être que tu pourrais lui donner des poux à la place. Merci, bonne nuit!

Maman a secoué la tête.

— Non, Junie B. Non, non, non!

J'ai poussé un soupir pas content.

— Mais les poux, ça ne fait même pas mal, maman! Les poux, ça s'enlève avec un peu de shampoing et c'est tout!

Mais maman a continué de secouer la tête. Elle m'a encore fait changer mon vœu.

— Bon, étoile, oublie tout ça. Sauf que maintenant, je ne serai jamais bouquetière de toute ma vie, probablement. Alors, j'espère que ma mère est contente. Bonne nuit.

Je me suis recouchée. Maman a éteint la lumière.

Quand elle est sortie, j'ai poussé un gros soupir.

— Zut. Cette idée de poux était géniale, ai-je dit à voix basse.

Tout à coup, mon éléphant en peluche, qui s'appelle Philip Johnny Bob, m'a tapoté le bras.

« Ne t'inquiète pas, a-t-il dit. Peut-être que tu seras quand même la bouquetière. »

— Ah oui? Et comment? ai-je demandé.

Il a *fléréchi*.

« Quand le papa de Bo va la conduire au mariage, peut-être que leur auto va être coincée devant un passage à niveau et que le train va avoit des bazillions *de kilomètres de long. »*

Cette idée m'a un peu consolée.

— Ouais, ai-je dit. Ou peut-être que leur auto va être bloquée par autre chose. Comme de la boue toute gluante. Ou un embouteillage. Ou bien...

« *Une immense flaque de super colle!* » a dit Philip Johnny Bob.

On a éclaté de rire tous les deux.

Je l'ai serré très fort dans mes bras.

Parce qu'il me redonne toujours de l'espoir, celui-là.

8/ Petite querelle

Il a fallu attendre une éternité pour que le jour du mariage arrive. J'ai attendu presque toute ma vie!

Puis, un matin, maman m'a annoncé une belle surprise.

— Junie B., c'est demain le grand jour! a-t-elle dit.

Enfin!

LE JOUR DE MON PREMIER MARIAGE ÉTAIT PRESQUE ARRIVÉ!

Ce soir-là, je n'ai presque pas dormi.

Je me suis réveillée très tôt le matin.

Maman est venue dans ma chambre. Elle a décoré mes cheveux avec des rubans de velours vert et m’a aidé à mettre mes vêtements de bouquetière.

Après, une dame est venue pour garder Ollie.

Puis maman, papa et moi, on est montés dans la voiture. On a roulé jusqu’à l’église.

Et vous savez quoi? Il y avait déjà des *bazillions* de personnes là-bas!

Je me suis dépêchée de monter les marches. Je me suis levée sur la pointe des pieds. J’ai cherchée Bo partout.

— Où est Bo, maman? Penses-tu qu’elle est malade? Ou que son auto est coincée dans la colle? Je ne la vois pas. Alors, peut-être que je vais pouvoir être la bouquetière, finalement.

Maman a lissé mes cheveux gentiment.

— Ma chérie, j’ai parlé à tante Flo ce matin. Bo va très bien. Elle doit être en train de s'habiller avec les demoiselles d'honneur.

Elle m'a souri.

— Essaie d'être contente pour elle, d'accord?

Je n'ai rien dit. Parce que pourquoi j'aurais été contente, hein? Je voudrais bien le savoir.

Après, on est entrés dans l'église. Un homme appelé Placeur a donné le bras à maman et l'a emmenée jusqu'à sa place.

Papa et moi, on les a suivis dans l'allée.

Et vous savez quoi? Je n'ai même pas trébuché!

Trois madames m'ont souri.

Je leur ai souri aussi.

— BONJOUR! VOUS VOYEZ COMME JE MARCHE BIEN DANS L'ALLÉE? DOMMAGE QUE JE NE SOIS PAS LA BOUQUETIÈRE, HEIN?

Ma voix était très forte dans l'église.

J'aime bien quand ma voix est forte.

Je me suis assise et j'ai lissé ma robe.

Et vous savez qui j'ai vu?

J'ai vu ma mamie Helen Miller!

Elle était assise devant moi!

J'ai tapoté sa tête.

— MAMIE MILLER! C'EST MOI! TA PETITE-FILLE, JUNIE B. JONES! REGARDE COMME JE SUIS GRANDE, HELEN!

Mamie m'a souri et m'a fait un clin d'œil. Et elle m'a dit de ne pas l'appeler Helen.

Après, un orgue a commencé à jouer très fort. Tout le monde s'est levé et a regardé vers l'entrée de l'église.

Et vous savez quoi?

J'AI VU BO!

Elle marchait dans l'allée. Elle jetait des pétales roses sur le plancher.

Ça avait l'air amusant, je vous le dis!

Mon cœur s'est mis à battre très fort en dedans.

Parce que Bo approchait de mon siège!

Alors, une bonne idée a brillé dans ma tête.

Et c'était : *Peut-être que ça ne dérangerait pas Bo si je prenais un ou deux pétales dans son panier pour les lancer! Parce que ce serait plus juste, je pense!*

Bo se rapprochait de plus en plus.

Tout à coup...

ELLE EST ARRIVÉE À CÔTÉ DE MOI!

J'ai avancé la main vers son panier.

— NON! a crié Bo.

— OUI! ai-je crié.

J'ai essayé de prendre des pétales. Mais Bo a éloigné le panier.

C'est pour ça que j'ai été obligée de tirer le panier vers moi.

Alors, on a eu une petite querelle.

Querelle, c'est le mot des adultes pour dire qu'elle ne voulait pas lâcher ce fichu panier!

Puis ma mère s'est penchée et m'a enlevé le panier des mains.

Son visage était très en colère.

J'avais la gorge serrée.

— Bonjour, ai-je dit d'une voix un peu tremblante. Comment ça va, aujourd'hui? Moi, ça va, sauf que je voulais juste deux petits pétales. Mais mon plan n'a pas marché, on dirait. Alors, maintenant, je vais être sage pour le reste du mariage, je pense.

J'ai lissé ma robe.

J'ai fait gonfler mes cheveux.

Et je me suis comportée comme une vraie madame.

9/ Libres comme l'air

Après l'église, tout le monde est allé à la réception.

La réception, c'est une grande salle géante avec de la musique bruyante. Les invités s'assoient à des tables et mangent de la bonne cuisine et du gâteau.

Et ce n'est pas tout! La table des demoiselles d'honneur était la plus longue de toutes!

J'ai couru au bout de cette énorme table. Et vous savez quoi? Il y avait une petite carte avec mon nom écrit dessus!

— Maman! J'ai trouvé ma place! Je suis ici! ai-je crié.

Puis j'ai vu tante Flo. Elle s'approchait avec Bo.

— Oh, oh! ai-je dit, un peu nerveuse.

Je me suis cachée derrière la jupe de maman.

Mais tante Flo n'avait même pas l'air fâchée!

Elle s'est penchée vers moi dans sa belle robe de mariée et elle a pris ma main.

— Junie B., ma chérie? Je n'ai pas vu ce qui s'est passé à l'église. Bo dit que tu as voulu lui enlever son panier. Est-ce que c'est vrai?

J'ai secoué ma tête très vite.

— Non, tante Flo. Je ne voulais pas prendre tout son panier. Je voulais juste deux pétales. C'est tout.

J'ai levé deux doigts.

— Juste deux petits pétales, tante Flo. Parce que Bo avait tout le reste des pétales. Alors, deux, ça aurait été juste, je trouve.

Tante Flo a regardé Bo.

— As-tu entendu, Bo? Junie B. voulait juste deux petits pétales.

Bo m'a regardée d'un air gêné.

Puis elle a plongé la main dans son panier et m'a tendu deux pétales!

Je lui ai fait un grand sourire.

— Hé! c'est très généreux de ta part, Bo!

Bo m'a souri. Tante Flo nous a fait asseoir sur nos chaises.

Bo m'a demandé mon âge.

Je me suis redressée, bien droite.

— J'ai presque six ans, ai-je dit fièrement.

Bo a poussé un soupir triste.

— Moi, j'ai seulement cinq ans. Je suis *toujours* la plus petite. Toujours, toujours!

J'ai tapoté son bras gentiment.

— Ne t'inquiète pas, petite Bo. Un jour, tu seras une madame comme moi.

— Tu n'es pas une madame, a dit Bo en fronçant les sourcils.

— Oui, je suis une madame! Demande à ma mère si tu ne me crois pas! Parce que je me suis comportée comme une madame pendant presque tout le mariage!

J'ai mis ma serviette sur mes genoux.

— Tu vois ça, Bo? Tu vois comment je place ma serviette? Si j'étais un bébé, je la mettrais autour de mon cou. Mais les madames mettent leur serviette sur leurs genoux.

Je me suis tenue encore plus droite.

— Tu vois comme j'ai le dos droit? C'est comme ça que les madames s'assoient. Elles n'ont jamais le dos rond.

Je suis restée assise sans bouger. Je ne bougeais pas un cil.

— Maintenant, regarde-moi, Bo, ai-je dit du coin des lèvres. Tu vois comment je m'assois? Je ne gigote pas. Parce que les madames ne se tortillent pas comme des vers, tu sais!

J'ai joint les mains bien poliment.

— Maintenant, je place mes mains

comme ça, et j'attends la nourriture patiemment.

Bo me regardait sans rien dire.

— La fin, ai-je dit.

Après, je suis restée sans bouger très, très longtemps.

C'est pour ça que Bo s'est fatiguée de me regarder. Elle a commencé à jouer avec sa cuillère. Elle l'a cognée sur son verre.

Elle l'a cognée sur son assiette. Sur son couteau. Sur sa tête.

— Les madames ne cognent pas avec leur cuillère, ai-je dit.

Bo a haussé les épaules.

Après, elle a fait une marionnette avec sa serviette. Sa marionnette m'a mordu le nez.

— Hé! me suis-je écriée, surprise.

J'ai froncé les sourcils.

— Les madames ne jouent pas avec leur

serviette.

Puis j'ai poussé un gros soupir. Parce que j'attendais mon assiette et ça prenait des millions de milliers d'années.

Et mon dos commençait à être raide. En plus, j'avais une fourmi dans la jambes et mon pied était tout engourdi.

C'est pour ça que je me suis levée et que j'ai tapé mon pied par terre.

— Des fois, les madames tapent leur pied parce qu'il est engourdi, ai-je expliqué à Bo. C'est très acceptable comme comportement.

J'ai secoué mon pied dans tous les sens. Mais il était toujours engourdi.

J'ai regardé Bo.

— Bon. Voilà ce qui se passe. Des fois, les madames doivent sautiller autour de la table pour activer la circulation dans leur pied.

— Vraiment? a demandé Bo.

— Oui, fais-moi confiance. Je sais ce que je fais.

J'ai commencé à sautiller autour de la table. Sauf que tant pis pour moi. Parce que mes nouvelles chaussures me faisaient mal aux pieds. En plus, mes beaux collants retombaient jusqu'à mes genoux.

Je suis retournée à ma chaise en boitant.

J'ai encore regardé Bo.

— Des fois, les madames doivent aller se rajuster sous la table, ai-je dit.

Bo m'a regardée d'un air curieux.

— Vraiment?

— Bien sûr, ai-je dit. C'est pour ça que les nappes sont aussi longues.

Je me suis glissée sous la nappe. J'ai

enlevé mes chaussures. J'ai enlevé mes collants.

— Aaa! ça va mieux, ai-je dit.

Je suis retournée m'asseoir et j'ai remué mes orteils.

— Quel soulagement! ai-je dit. Mes orteils sont libres comme l'air! Plus de

chaussures!

Tout à coup, mes yeux se sont agrandis! Parce que ça me rappelait ce que papa et maman avaient dit!

— BO! HÉ, BO! JE N'AI PLUS DE CHAUSSURES À MES PIEDS! TU AS VU?

— Et alors? a dit Bo.

C'est pour ça que je lui ai parlé de mon petit ami Ricardo, qui voulait courir après d'autres personnes. Et de papa et maman, qui disaient que je devais être libre comme l'air, sans chaussure à mon pied.

— Tu comprends, Bo? ai-je demandé. Papa et maman avaient raison. Les orteils libres comme l'air, c'est plus amusant que les pieds de madame!

Je me suis mise à genoux sur ma chaise. J'ai cogné ma cuillère sur mon verre. Je l'ai cognée sur mon assiette, sur ma fourchette et sur ma tête.

— Des fois, c'est amusant d'être petite! Hein, Bo?

Bo et moi, on a cogné nos cuillères ensemble.

— Oui! a dit Bo en gloussant.

Après, j'ai fait une marionnette avec ma serviette. Ma marionnette a mordu le nez de Bo.

Et ce n'est pas tout!

Après le dîner, Bo et moi, on a gambadé dans toute la salle pieds nus! On a lancé des pétales sur la tête des invités. Et personne ne s'est fâché! Parce que quand on est petit, on peut se permettre ce genre de taquineries!

Je ne m'étais jamais autant amusée.

Et vous savez quoi?

Après la réception, Bo et moi, on s'est fait un câlin pour se dire au revoir. Elle a dit qu'elle me téléphonerait. Et je lui ai dit que je lui écrirais.

— Mais avant, il faut que j'apprenne à épeler d'autres mots, ai-je dit.

Bo a haussé les épaules.

— Ce n'est pas grave, a-t-elle dit. Moi, il faut que j'apprenne à lire.

Nos papas nous ont pris dans leurs bras. Ils nous ont portées jusqu'au stationnement.

— Hé! regarde comme je suis haute! ai-je crié à Bo. Je suis presque aussi grande qu'une madame. Sauf que les madames ne se font pas porter! Alors, tant pis pour elles. Hein, Bo?

— Oui! a crié Bo.

On s'est dit au revoir.

J'ai agité la main.
Après, j'ai agité tout le bras.
Puis j'ai agité mes orteils.
J'ai ri, toute contente.
— Tu vois, papa? Tu vois? J'ai les

orteils libres comme l'air, sans chaussure à mon pied, comme tu voulais!

Papa a ri.

Lui et moi, on a chanté la jolie chanson de mariage jusqu'à la voiture.

Mot de Barbara Park

« Tout comme Junie B., j'aurais adoré être bouquetière quand j'étais petite. À mes yeux, les mariages semblaient directement sortis d'un monde imaginaire et merveilleux. Les robes de satin *froufroutantes*, les beaux bouquets de fleurs... Mais ce que j'aimais par-dessus tout, c'était L'ÉNORME GÂTEAU!

Je dois avouer que je ne me suis pas améliorée avec l'âge. Au dernier mariage auquel j'ai assisté, mon mari a passé l'après-midi à me faire signe d'essuyer le glaçage sur ma bouche.

Alors, après des années d'expérience en mariage, voici mes conseils :

Portez des vêtements élégants.

Comportez-vous avec dignité.

Et apportez beaucoup de mouchoirs.

(On peut envelopper un morceau de gâteau dans des mouchoirs et le rapporter à la maison en cachette.) »